我的吸血鬼同學

15 安德魯回歸

創作繪畫 · 余遠鍠　　故事文字 · 陳四月

目錄

迦南

擁有金黃魔力的人類少女。好奇心重，領悟力強，平易近人的她曾被黑暗勢力封印起她的魔力。現時是西方學園的學生。

安德魯

吸血鬼高材生。外形冷酷，沈默寡言，與迦南兩情相悅。曾因血癮而誤入魔道。

卡爾

胃口極大的人狼。是學園小食部常客，身材健碩，熱愛跑步，經常遲到的他和安德魯自小已認識。

美杜莎

蛇髮妖族的後裔。由於這一族的妖魔出了很多危害國家的罪犯，所以美杜莎在學園也被杯葛孤立。她曾嫉妒受歡迎的迦南，但現時二人已成為朋友。

四葉

來自東方學園的九尾妖狐少女。活潑好動而且十分熱情的她和卡爾有婚約在身。和迦南一樣，四葉也擁有金黃魔力。

阿諾特

吸血鬼一族的王子，是被寄予厚望的天才。追求力量和榮耀的他自視高人一等，對同樣被視為天才的安德魯抱有敵意。

唐三藏

東方學園的年輕教師，和迦南一樣是人類。法術高強的她美貌與智慧並重，心地善良以作育英才為己任。

孫悟空

在東方魔幻世界中無人不知的名字。失去記憶的他只知道自己要保護唐三藏，但為什麼變成了小猴卻是謎團。

右京

現存人數不多的忍者一族的領袖，不單法術了得，還天生具備獨特異能。曾經是獵人的他和丹妮絲關係密切。

奇洛

人狼集團「黑狼組」的首腦，雖然是獵人公會的通緝犯，但是一個重情重義而且忠誠的硬漢。

露比

在人界劫富濟貧、行俠仗義的女飛賊，是擅長飛行的鳥人。

蜂后

以古董店作掩飾的當舖老闆娘，為妖魔提供金錢交易，在地下世界人脈甚廣。

我的
吸血鬼同學

第一章

絲絲邪氣

東方魔幻學園內正上演著令人感動的一幕，闊別多時的安德魯終於回歸，和他緊緊抱著的迦南泣不成聲，止不住眼淚。迦南十分害怕眼前的是幻覺又或者是夢境，她實在無法再承受安德魯消失所帶給她的悲痛了。

「是真的吧？不會再消失的吧？」迦南已問了數遍，但她還是不敢相信。

「嗯，我不會再離開你了……」這樣的感覺安德魯當然很清楚，他又何嘗不是一直受相思之苦折磨。

「今天真的是一個好日子，不只艾爾文，連安德魯也回來了。」愛莉心情大好，她那不愛回信的情郎千里迢迢來到東方學園。

「的確……不過，怎麼我覺得安德魯給人的感覺有點不一樣了？」經驗豐富的獵人艾爾文直覺敏銳，他能察覺到別人身上散發的些微邪念。

「是太久沒見罷了，安德魯變得更帥氣了呢！歡迎回來！」四葉不以為然，只想為好友回歸而慶祝。

「謝謝你，四葉。」安德魯淡然微笑，給人的感覺比過去成熟了一點。

「你變瘦了……」迦南珍而重之的觸摸安德魯的臉龐。

「流浪的日子比我以為的長了許多。」東方之旅讓安德魯感觸良多。

「我有很多話想對你說。」但迦南腦中一片空白。

「我也是，但統統留待往後再說吧。」安德魯覺得千言萬語也比不上溫暖的擁抱。

我的摯友安德魯呀！我就知道你一定平安無事，一定會回來我身邊的！

不識趣的人狼卡爾聞知安德魯歸來，便放下和牛魔王的比試火速前來。

「臭！你的身上有很重的汗臭味呀，別靠過來！」安德魯掙扎著說，激動的卡爾用力把安德魯和迦南一併緊抱入懷。

「抱歉，我的笨蛋未婚夫很不會察言觀色。你再阻住迦南和安德魯就沒有**消夜**吃！」四葉揍了卡爾頭顱一下。

「好了好了，時候已經不早，明天大家還有重要的專修課堂啊，快回宿舍早點休息吧。」唐老師說。

重逢的這晚是溫馨而且浪漫的，但除了敏銳的艾爾文外，唐老師懷中的小猴亦感覺到安德魯身上有**不祥的氣息**，雖微細，但又令人不禁提防。

翌日清早，迦南和安德魯結伴回到西方學園報平安，迦南的父母史提芬和玥華終於放下

心頭大石，校長巴哈姆特和訓導主任法蘭亦十分開心，因為安德魯是破解黑魔法派陰謀的重要功臣，也是他們已逝摯友安古蘭唯一的兒子。

「太好了……你平安無事真的太好了。」安潔莉娜感動不已，她每天也提心吊膽，害怕聽到有關兒子的壞消息。

「媽媽，抱歉我害你擔心了……」安德魯抱著母親說。

「迦南現在終於可以放鬆一點了，在你失蹤的這段時間，迦南每週也會來看望安潔莉娜，照顧一蹶不振的她。」玥華說。

「謝謝你。」安德魯對迦南的付出無言感激。

「這是我應該做的事呀。」迦南和安德魯久別重逢，看著他不禁會心跳加速。

校長巴哈姆特問。

沒有……我只知道在險象環生的黑洞裡，是他用盡僅餘的魔力保護了我，到後來拯救我的人並沒有發現其他生還者在場。

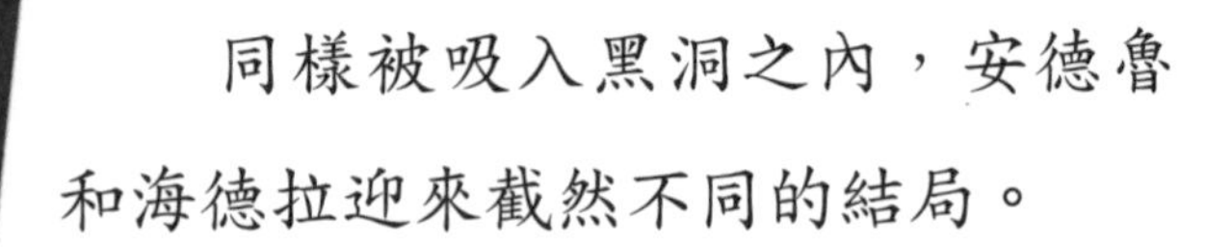

同樣被吸入黑洞之內，安德魯和海德拉迎來截然不同的結局。

聽到這番說話，迦南口袋內魔法瓶子中的依娃，心裡揪著疼痛。

「雖然他帶來了一場浩劫，但我真心希望他能**大難不死**。」校長感觸良多，但他不知道新的浩劫正在靜靜接近。

「對了，安德魯你現在有什麼打算？你想留在西方學園休養生息嗎？」史提芬問。

「不，我想去東方學園，**迦南在哪裡我就想去哪裡**。」這是安德魯的真心話，但他隱瞞了想去東方學園的另一個原因。

「真令人羨慕……這種充滿粉紅色泡泡的青春校園生活，我也想一起去！」玥華回想起年輕時校園生活的點滴。

「你下午還有課堂要教授，別開玩笑了。」史提芬笑著說。

魔幻學園裡學生的**青蔥歲月**是多姿多彩的，可惜在迦南和安德魯的生活裡，灰暗的黑雲正慢慢積聚，逐步籠罩他們。

西方學園內，安德魯的父親、英雄安古蘭的墓碑前，史提芬、玥華和法蘭獻上鮮花並帶來喜訊。

「你現在可以放心安息了，老朋友。」法蘭真摯的說。

安古蘭以臥底身份潛入黑魔法派時雖然傷害過很多無辜的人，但他為國捐軀，成功瓦解黑魔法派，最後得以被追封為護國英雄。

「你的兒子一定會**不負眾望**，成為不比你遜色的大英雄。」史提芬說。

「對了，我施加的法術已失效，不知道安德魯還會不會被血癮影響呢……」玥華想起在皇城保衛戰後，她用來壓抑血癮的法術效力已過。

「他流浪了這麼久，應該已經無大礙了吧。」史提芬說。

「只不過安德魯的樣子好像滿懷心事似的，希望**一切安好**吧。」法蘭說。

三人不以為然，但其實安德魯氣息中的那一絲邪氣，正是和身上的血癮有所關連。

第二章

黑狼暴力集團・上

明月高掛的晚上，城市美麗又帶點神秘。在人類早已進入夢鄉、**倒頭大睡**的深夜，正是吸血鬼最活躍的時間。

「阿諾特，我們真的要進去嗎？」艾翠絲在工廠外的高處觀察著四週圍的情況。

「你不是說過公會應該把不法妖魔的巢穴**一網打盡**嗎？我這樣做沒有不妥吧？」阿諾特正昂首闊步，朝工廠大門走去。

「是沒錯啦……但只有我們兩人行動，不會太魯莽嗎？」阿諾特最近的行事方式愈來愈激進，艾翠絲擔心會有反效果。

自從早前發現殭屍礦洞後，阿諾特便一直**怒氣沖沖**，他痛恨幕後黑手的所作所為，認為那是殘忍而且不人道的。

既然沒有人懲罰這些惡徒，沒有人管理在黑暗世界的壞分子，他便替天行道，儆惡懲奸。

「這不算是你們公會獵人的正式行動，而且有我一個人已足夠，你擔心的話就留在外面吧。」阿諾特是個十分自負的人，這是令艾翠絲更擔心的地方。

充滿怒火的阿諾特總是相信自己能以一敵百，跟著他的艾翠絲擔心有天阿諾特**上得山多終遇虎**。

「偏偏這時候師父音信全無，哥哥又去了魔幻學園找愛莉……」原本的獵人小隊各有要事在身，所以艾翠絲理應不該採取行動。

艾爾文因為思念人魚公主而遠赴魔幻世界，沒有戀愛經驗的艾翠絲並不理解，她一直把所有心思都放在保衛人界的獵人事業上，不知道想留在一個人身邊朝夕相對是怎麼樣的一回事。

「讓我來看看，今天被我選中的**倒霉壞蛋**有多少個。」阿諾特踏進工廠，隨即關閉用來和艾翠絲通訊的無線耳機，他要隻身勇闖虎穴。

「喂，阿諾特……唉，這笨蛋又一個人亂來了！」和阿諾特失去聯絡的艾翠絲立即拿出獵人手槍等裝備，準備上前支援。

然而在黑夜活躍的不只有吸血鬼，人狼同樣是在入夜後特別強大的妖魔。

工廠內，五名男性人狼正在破壞內部設施和貨物，他們是在人界靠接受非法委托維持生計的集團，集團的名字叫「**黑狼組**」，以暴力聞名於地下世界，是公會通緝多年的對象。

「一、二、三、……只有五個人狼嗎？我還以為這集團有多龐大。」阿諾特**大搖大擺**走到人狼們面前說。

「你不是人類……報上名來！」人狼集團的首領是一頭毛髮烏黑、左眼有傷疤的獨眼人狼——奇洛。

阿諾特傲視群雄，他透過獵人公會的情報網得知黑狼組最近活躍在工廠區，而他需要黑市獵人的情報，所以他找上黑狼組這班犯罪分子，希望能從他們口中得到線索。

「小子你是不是瘋了？單憑你一個人膽敢在五名人狼面前放肆？」奇洛竊笑著問，他從未遇過這般膽大包天的人。

「黑賀忍者右京和殭屍礦洞，關於上述兩者，你們知道什麼？」阿諾特不想浪費唇舌。

「無可奉告，比起打聽其他人的事，你還是擔心一下自己的下場比較好吧。」奇洛皺了一下眉頭，他顯然有事隱瞞。

「阿諾特！你沒事吧？」火速趕來支援的艾翠絲擔心阿諾特已送羊入虎口。

「我的增援來到了，怎樣？我要的情報你到底有沒有？」阿諾特問。

「多了一個人類又能改變什麼？慢著……這女生穿著的是獵人裝束，你也是公會的獵人？」奇洛驚訝地問，這年頭幫人類狩獵同胞的妖魔少之又少。

「我不是獵人，我和獵人公會頂多算是合作關係吧，但若你不給予我想要的情報，我不介意代替公會收拾你們。」阿諾特展開吸血鬼的蝙蝠翅膀，他的兩手已燃起漆黑的火焰。

「使用黑火焰的吸血鬼，你是近日燒毀了地下賭場的那傢伙吧？你的首級在黑市之間十分值錢呢。」奇洛亮起利爪，他的人狼團員紛紛對阿諾特和艾翠絲提高戒備。

「我的首級值不值錢也不關你事，因為你沒有資格摘下。」阿諾特搶先進攻，調查線索固然十分重要，但對阿諾特來說，發泄怒火更是當務之急。

「又這麼亂來了……為什麼男生都是這麼衝動的？」艾翠絲沒好氣地提起雙槍，她眼前的阿諾特比艾爾文更加衝動。

而在遠方**魔幻世界**，艾爾文已到達東方學園和人魚公主愛莉重逢，能感受重逢溫暖的不只有他們二人，因為失蹤多時的安德魯也剛好出現在迦南面前。

盤絲洞內，眼睛失去神采的殭屍女孩雙雙靜止在**巨大冰塊**之中，早前她為了保護姐姐雙兒和在進行針灸治療的安德魯，過度使用法術力量，以致維持在她身上的殭屍法術愈來愈弱。

「復活雙雙的希望愈來愈渺茫了，我什麼也做不到……只能在這裡等待。」雙兒十分自責。

「焦急也無補於事，唯有看看安德魯能否

及時帶唐三藏過來。」蜘蛛女醫師銀鈴說。

「安德魯回到心上人身邊後，又怎會再回來拯救我們這兩個陌生人？」雙兒愈想愈悲觀。

「你們不是很信任對方嗎？我能看出安德魯是真心想救活雙雙的。」銀鈴安慰著說。

「要完成殭屍秘法復活雙雙，可能要以唐三藏的生命為代價，這連我也不敢肯定該不該這樣做，更何況是和我們沒有任何關係的安德魯……」家破人亡加上**孤立無援**，雙兒真的對別人失去所有信心，如果妹妹有不測，她實在難以再次承受這麼大的傷痛。

「安德魯一定會回來的，一來我相信他是個守約定的男子漢，二來……他身上的血癮還需要進行多一次法術針灸才能痊癒，所以無論他願不願意，他也要再來盤絲洞。」銀鈴比雙兒樂觀，她知道**血癮**對安德魯的影響有多大。

雙雙的情況並不樂觀，若安德魯不盡快帶唐三藏到來，好讓殭屍秘法得以完成，雙雙很可能永遠無法醒來，靈魂從此煙消雲散。

第三章

黑狼暴力集團・下

槍聲接連響起，獵人神槍手艾翠絲奮力迎戰，因為阿諾特行事不按規則章法，他們要以二人之力搗破人狼暴力集團「**黑狼組**」。

魔導靈，金剛巨猩！

艾翠絲召喚出防禦力十足的猩猩魔導靈為她掩護，好讓她有替換手槍子彈的空檔。

「阿諾特這笨蛋……平安回去後一定要好好教訓他。」**雙拳難敵四手**，更何況艾翠絲和阿諾特正面對五名人狼。

人狼身手敏捷，奔跑速度更快如閃電，令艾翠絲苦不堪言。縱使阿諾特實力超卓，面對重重圍攻亦難以全身而退，身體多處已被抓傷。

「痛快！和地下賭場的那些雜碎相比，你們厲害得多。」雖然受傷，但阿諾特露出滿足的笑容，他一直尋求刺激的感覺，現在可謂得償所願。

「想不到你年紀輕輕，身手卻有如歷練多年的老手。」人數佔優的奇洛沒有掉以輕心，俐落的一番攻守後，就停止攻勢，等待從後而上的同伴。

「嘖！又是這阻頭阻勢的臭丫頭。」人狼們有豐富經驗合作無間，但艾翠絲跟阿諾特的默契不遑多讓，多次成功阻攔人狼們的夾擊。

艾翠絲沒有受到主動攻擊，這一點令身為獵人的她十分意外。

「既然如此……金剛巨猩，給我火箭炮！」艾翠絲棄用輕巧靈活的手槍，改為使用笨重的大型武器。

「你們再不**束手就擒**的話，別怪我不客氣！」艾翠絲作出最後警告。

「得寸進尺的丫頭，我們就先收拾你，再對付那吸血鬼。」人狼們一直漠視艾翠絲，但威力驚人的火箭炮迫得他們沒有選擇。

四名人狼改變目標，飛躍向艾翠絲，拿著沈重武器的她無法同時射擊四人，亦無法及時躲避。

「霧化！」阿諾特**心急如焚**，快速霧化想要保護艾翠絲。

全部停手！

奇洛高聲呼叫，四名團員的利爪及時停止在艾翠絲面前。

「果然……」艾翠絲鬆了一口氣，她驗證了自己的想法是對的。

「我說過無論是任何情況，也不可以傷害婦孺，我們雖然是**暴力分子**，但也必須有自己的原則！」奇洛不但沒有乘勝追擊，還馬上訓斥自己的成員。

「雖然立場對立，但我們可以嘗試透過對話解決問題嗎？」黑狼組的成員一直不攻擊艾翠絲，所以她相信對方並非麻木不仁的惡徒。

「**盜亦有道**，我欣賞你們，而且你們的實力也得到我的認同。」阿諾特滿意的說。

「你們是獵人，我們是**通緝犯**，還有什麼好說的？」奇洛是黑狼組的首領，他肩負照顧同伴的重任。

「我不是說了我和公會只不過是合作關係嘛，既然我不是獵人，那我可以是你們的合作伙伴，更可以是你們的僱主。」阿諾特不隸屬於任何人，他只按照自己的意願行事。

自從離開殭屍礦洞後，阿諾特有了一個大膽的想法，有了想實踐的目標。

「我們雖然有違公會的法律，但我們沒有殺害過人類，我們接受的委托都是破壞一些死物，以賺取能留在人界的**生活費**。」奇洛收起敵意，決定嘗試用言語和敵人溝通。

「為什麼你們不惜受追捕也要留在人界？」艾翠絲不明所以。

「黑魔法派揭露了魔幻王國起源的秘密，令大家得知人界本來就是我們的故鄉……我們不過是想感受在故鄉的生活罷了，可是人界的規則太多，妖魔都只能活在黑暗之下……

而且沒有金錢便難以生存，我們四肢發達頭腦簡單，只能靠幹這些髒活來維持生活。」奇洛有自己的苦衷，**離鄉別井**並非易事，但能在充滿新事物的人界生活，他們十分享受。

然而黑狼組的成員其實不止五人，他們的妻子兒女加起來合共三十多人，生活的開支十分龐大，為了生活，有時人類也被迫做出違背己願的選擇，更何況是不受保障的妖魔？

「就算有苦衷……你們是公會的討伐對象，被公會抓到，後果很嚴重的。」艾翠絲雖然同情人狼，但**國有國法**，**家有家規**，獵人公會是紀律嚴明的組織。

「那不被抓到就可以了，從今以後你們就為我效力，我不會要你們做違背自己的工作，你們的生計由我負責。」阿諾特已不打算和黑狼組繼續作戰，他要把人狼的戰力收歸旗下。

「但是……」艾翠絲是盡責的獵人，阿諾特要她放行通緝犯，令她的處境十分尷尬。

「你憑什麼要我相信你，把黑狼組大家的命運交托你手？」奇洛不敢草率下決定。

「不幸的是，你們其實沒有其他選擇，不為我所用，我只好替公會逮捕你們；但成為我的手足，我保證你們在不觸犯公會規條之下，能賺得更多。」阿諾特足智多謀，具備靈活的商業頭腦，他想要在人界建立自己的勢力、自己的王國。

「唔……」人狼奇洛沈思片刻，說道：「希望你不會令我後悔今晚作的決定。」他決定伸出友誼之手，因為阿諾特的說話讓他心悅誠服。

「你很快就會為這決定感到**自豪**。」狂妄而自信的阿諾特成功向理想踏出了第一步，但這一步，可能會迫使艾翠絲和他走得愈來愈遠。

第四章 防洪工作

阿諾特把他的聯絡方式給予黑狼組後便闊步離開，艾翠絲思前想後，最後只好跟隨阿諾特的步伐。

「**阿諾特你給我站住！**」怒氣沖沖的艾翠絲叫停了阿諾特。

「今晚的結局不是挺圓滿嗎？你為什麼還一臉不滿？」阿諾特板起面孔問。

「當然不滿呀！我們不單放過了通緝犯，你還說出什麼僱主效命的奇怪說話，你到底在盤算什麼？」艾翠絲想要問個清楚明白。

「你不是親耳聽到他們的苦衷了嗎？」阿諾特反問。

「就算有**難言之隱**，他們所做過的破壞曾為別人帶來損失、帶來不便，甚至帶來傷害呀。」艾翠絲心裡明白，為勢所迫的不只有妖魔，人類一樣面對很多相似的困境。

阿諾特堅定地說，哪怕這想法和艾翠絲的身份有所衝突。

「你親眼目睹過，在人類世界有殭屍礦洞和地下賭場這些不容忽視的**歹徒**，也有像黑狼組一樣需要扶持的群體，按章辦事的獵人公會是沒法彈性靈活地處理好每個個案的。」

阿諾特轉換了溫柔的語氣，他想取得艾翠絲的理解和信任。

「你叫我……該如何是好？」身為獵人，艾翠絲應該如實通報阿諾特今晚的言行，但身為友人，她不想阿諾特被問責處罰。

阿諾特笑笑口說，然後轉身邁步前行：

你應該……不要想太多，然後回家煮晚飯給我吃。

艾翠絲十分擔心，她有預感，放任阿諾特繼續前行，她們兩人遲早會愈行愈遠，愈來愈**陌生**，唯有一直站在阿諾特身邊，她才有機會阻止不好的事發生。

由於艾翠絲和阿諾特朝夕相對，所以她還未察覺到自己對阿諾特的這種擔心，和哥哥對愛莉的感情有多麼相似。

東方魔幻世界內，唐老師和迦南開始了新的課題，迦南選修的專修科是**保育科**，科目包含的範圍非常廣泛，而今天她們的主要目的是防範快將來到的自然災害。

「安德魯，你會不會覺得很沈悶呀？其實你不用勉強自己和我上同一課的。」騎在魔法掃帚上的迦南害羞地說，久別重逢後迦南還未習慣安德魯熾熱的目光。

「不會，我現在……只想盡量留在你身邊。」安德魯微笑著說。

一如既往的笑容，迦南卻在安德魯臉上看出絲絲悲傷。

「你們的進度如何呀？防洪工作必須在今天天黑前做好呀。」唐老師說。

由於這地區在日前下了數天暴雨，導致水位**急速上升**，唐老師預料大洪水將會在今天晚上襲來，所以她帶領迦南來修築殘舊不堪的堤壩，以免洪水泛濫成災，摧毀離堤壩不遠的小城鎮。

「知道老師，我們會加快速度的。」迦南在堤壩各處貼上符咒。

如果以正常速度，修復一個龐大的堤壩可是要花上一、兩個月的大工程，但以魔法和法術符咒來修補，半天之內就能完成。

「迦南，這些符咒的用途是？」安德魯配合迦南工作，但他未見法術有什麼成效。

「這是我和唐老師研究出來的新型技術，完成之後你一定會**大吃一驚**的。」迦南很喜歡保育課，同時她也在努力研究能造福社群的新魔法和法術。

用來拯救魔界樹的新型魔法也是迦南的發明，她認為法術和魔法結合起來能創造出更多可能性，是不可忽視的重要力量。

「唐老師，我準備好了。」迦南把最後一張符咒貼上並拿出魔法杖。

「那就開始吧！大地符咒法術。」唐老師發動東方符咒法術。

「**萬物修復魔法！**」迦南以西方魔法配合。

東西合壁令破舊的堤壩回復全新姿態，而且岩壁變得更厚重和結實，就算再猛烈的洪水也不用害怕。

「**精彩……**」安德魯讚嘆不已，不只因為迦南的魔法進步了許多，他還為唐三藏老師的實力感到驚嘆。

安德魯回來學園是為了帶唐三藏到盤絲洞，為此他必須找到接近唐老師的方法，陪伴迦南上課正是接近她的**完美藉口**，只不過他還沒有和唐老師單獨相處的機會。因為除了迦南外，小猴也一直跟在唐老師身邊。

「迦南，那個子小小的猴妖是誰？為什麼會和你一同上課呢？」安德魯問。要拯救雙雙，他實在不容有失。

「那位可是唐老師的貼身保鏢，鼎鼎大名的**齊天大聖**孫悟空呀！」迦南誇張的說。

「孫悟空？為什麼這位大人物會在學園當老師的保鏢呢？」安德魯慶幸自己沒有胡亂行動，孫悟空的威名在東西方也無人不知，好學的安德魯當然聽過他的事跡。

「哼！」聽到別人談論自己，小猴目露兇光瞪著安德魯。

「修復的工作已完成了，相信一定能阻擋今晚到來的洪水，我們去和村長匯報情況後就回學園吧。」唐老師想輕撫小猴的頭顱，但小猴卻躲到迦南身後，**刻意迴避**唐老師。

自從小猴知道自己的真正身份，就變得心情低落、**煩躁不安**，他不知道該怎樣面對唐老師，怎去告訴她：自己只是孫悟空的分身，是終有一天會消失的幻象。

第五章

小猴的煩惱

村莊內，唐老師向村長和村民報告堤壩修復的進展，村民們都十分感激這位不收取報酬，為村民**無私奉獻**的大恩人。

「*唐大法師……能懇請你們待到晚上嗎？我們還是很擔心萬一出了意外，洪水會把大家一生的心血摧毀。*」村長擔憂的說。在這窮鄉僻壤，沒有懂得使用符咒法術的人，天災造成的人命傷亡和財物損失，他們都無法承受。

「好吧……但我要先通知和我同行的人。」唐老師**樂善好施**，只要能幫助到他人，她總是義不容辭。

「安德魯，能請你代我問問迦南和悟空嗎？」唐老師微笑著問。

作育英才，並把所學到的一切回饋社會，是大法師唐三藏的畢生志願。

「當然可以，但唐老師這段時間你要幹什麼呢？」安德魯問。

「這村莊的木屋**日久失修**，我想趁機會幫村民修葺一下，畢竟距離洪水到達還有一點時間嘛。」唐老師束起衣袖，準備大顯身手。

「大法師，我的木頭車也壞了，你能幫我修理嗎？」不只大人，小孩們也當唐老師如有求必應的大恩人。

「好的好的，大家慢慢來，我會逐家逐戶拜訪的。」唐老師笑容可掬，令心懷不軌的安德魯十分慚愧。

「我竟然……想謀害一個這麼善良的好人……」安德魯轉身離開，他的陰暗面在唐老師的光明面前，顯得自私渺小。

「但是……若不犧牲唐三藏，雙雙便會返魂無術，雙兒還在等我……」安德魯面對兩難局面，內心的掙扎令他**痛不欲生**。

要償還馬氏姐妹的救命之恩，安德魯唯有做出違背良心的惡行；但若然他犧牲唐老師來救別人，迦南是絕對不會原諒他的。

安德魯在**獨自掙扎**的同一時間，小猴也一樣有苦難言。

草原湖畔之上，愁眉苦臉的小猴正在嘆氣，筋斗雲在他身邊繞圈蹦跳，想哄小猴開心，但小猴還是**一言不發**，沒有理睬。

「孫悟……小猴，你一個人坐在這裡想什麼呀？」迦南本想直呼其名，卻又記得對方不喜歡別人這樣稱呼他。

「唔……」在別人眼中，小猴只不過是在鬧情緒。

「是和唐老師有關的吧？」迦南坐到小猴身旁問，小猴點頭不語。

「我很喜歡唐老師，我知道你也一樣呀，所以我很願意聆聽你的煩惱。」迦南誘導小猴**敞開心扉**。

「如果你喜歡的人……和你想像的不一樣，你說怎麼辦？」小猴**吞吞吐吐**，他不敢跟其他人說出實情。

「唔……就算不一樣，也不會怎樣呀，因為是喜歡的人，所以……無論怎樣也會去理解他、接受他吧。也正因為喜歡，所以無論發生什麼事，都會想跟對方一起面對。」迦南邊回想著過去和安德魯相處的點滴邊說。

安德魯有過嚴重失常的時候，在他痛失父親加上血癮爆發時，他曾差點**鑄成大錯**。

「你真的很喜歡那小子呢。」小猴指著迦南後方說。

「安德魯！你是何時站在我背後的？」迦南面紅耳赤，生怕剛才的說話被安德魯聽到。

安德魯扮作沒聽到，其實他早已站在迦南身後。

「雖然我不知道小猴你在煩惱什麼，但我知道唐老師有多喜歡你，無論你是怎樣的人，我相信唐老師的心意是不變的。」害羞的迦南沒有回應安德魯，接著對小猴說。

「唐老師正在幫村民修葺木屋，不如我們也去出一分力吧？」安德魯牽起迦南的手站起來說。

「那……如果有天我消失了的話，師父會很傷心嗎？」待迦南和安德魯逐漸走遠，小猴輕聲自言自語。

小猴是分身，分身永遠取代不了本體，等待分身的，只會有消失這下場。

堤壩之上，鹿、羊兩大仙突然出現，八卦鏡能呈現小猴眼中看到的事物，於是他們制定了新的計劃，一個能補充殭屍和捉拿唐老師的計劃。

「在洪水把村莊夷為平地後，我們就能把所有村民都變成**殭屍**！」羊力大仙看著已被加固得妥妥當當的堤壩說。

「這裡不是學園，不用擔心援兵趕到，實在是捉拿唐三藏的良機。」鹿力大仙沾沾自喜。

「唐三藏身邊只有兩名學生和孫悟空的分身，村民都是**手無縛雞之力**的弱者，這是不容錯過的機會。」羊力大仙點頭同意。

「但那兩名學生非等閒之輩，我們現在又沒有殭屍在手……」鹿力大仙皺起眉頭。

「不要緊，只要我們事先削弱他們的魔力，到時候他們便**插翼難飛**。」羊力大仙亮出符咒。

妖魔三仙人曾經是東方帝王十分重用的賢臣，是曾致力造福社群、**舉足輕重**的大人物，只不過現在他們把力量用在錯誤的地方，導致生靈塗炭。

羊力大仙的符咒法術有腐蝕的作用，令堤壩快速老化，洪水已快要到來，到時候這堤壩將無力抵禦……

第六章
女飛賊露比・上

正午的繁華都市裡，阿諾特和艾翠絲跟隨人狼奇洛在街道穿梭，以人類姿態**掩人耳目**的奇洛身材高大，肌肉結實，和阿諾特走在一起，像是貴公子的保鏢。

「阿諾特，我們要去哪裡？」艾翠絲此刻身穿便服，畢竟獵人裝束實在太過引人注目。

「要達成我的目標，**資金**是不可或缺的，我們現在要去的是一個供妖魔兌換人界貨幣的地方。」阿諾特雖然是王子，但他沒有人界通用的貨幣。

「是去銀行嗎？」艾翠絲問。

「老大，我們到了。」奇洛向阿諾特說。

「不用尊稱，直呼我的名字就可以了。」阿諾特被帶到一間**古董店**前，店門上掛著休息的告示牌。

「在人狼的體系中，**階級觀念**是很重要的，我們決定跟隨你，就必須表示尊敬。」奇洛恭敬地說。

「還未開門營業嗎？已經是正午時分了啊。」艾翠絲在門前邊窺探邊說。

「對人類來說這店是不會營業的，因為這裡只招待妖魔。」

阿諾特的手觸碰大門的瞬間，大門***自動打開***。

歡迎光臨！

小女孩穿著黃黑色間條的連身裙，她是店裡眾多店員之一。

「很多**長相一樣**的小女孩啊，這到底是什麼回事？」艾翠絲環顧古董店，六個長相和衣著一樣的小妹妹在忙碌整理商品。

「這裡是蜜蜂皇后經營的古董店，她們都是**蜂后**的女兒。」奇洛輕拍蜜蜂小妹妹的頭顱，他是這古董店的常客。

「原來人界大街上竟隱藏著這樣的店舖，獵人公會知道的事真的太少了。」自從艾翠絲跟隨阿諾特四處走之後，發現自己對這世界的了解是多麼淺窄。

「*獵人公會？姐姐你是那些傷害妖魔的壞人嗎？*」小妹妹慌張失措，她自小被教育要迴避獵人，不然會受到傷害。

「不用怕，這位姐姐是我的朋友，是不會因為立場不同而傷害無辜者的好獵人。」阿諾特安撫小妹妹，幼小的女童不禁令他想起妹妹約娜小時候的模樣。

蜂后身穿黑衣黃褲，在人界營業的她，肉眼看來和人類女性沒有分別。

「我要在人界建立自己的勢力，為此我需要龐大的資金。」**自信滿滿**的阿諾特向蜂后走去。

「我的店子可不是銀行，更不是善堂，你有什麼能典當嗎？」以物品質押貸款，蜂后的店子提供像當舖的服務。

阿諾特從口袋拿出數顆紅寶石，這些都是從他的王子禮服中摘下。而艾翠絲則四處打量店內的精緻商品，它們每一件都稀有珍貴，有的更是世上**獨一無二**。

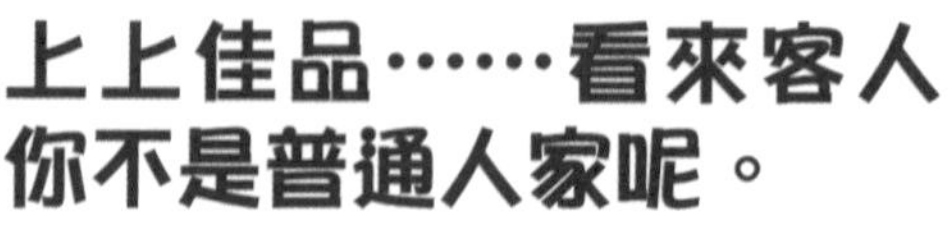

蜂后看出紅寶石晶瑩通透，絕非平民百姓能擁有。

「我流著吸血鬼皇室**高貴的血統**，投資在我身上，你將來一定會有莫大的回報。」阿諾特以紅寶石換取了一筆可觀的資金。

「就算我願意投資在你身上，你要在人界大展拳腳，其他妖魔不會坐視不理的。」蜂后對**年少氣盛**的阿諾特印象良好。

「所以我要招募能人異士，擴充勢力。」黑狼組的加入對阿諾特來說只是開端。

「阿諾特……這支魔法杖……」

艾翠絲看著其中一件商品驚訝不已。

「怎麼了，想我買給你嗎？」阿諾特問。

「這是我師父的魔法杖，為什麼它會在你的店裡？」艾翠絲有不好的預感，她的師父已沒有傳來消息一段日子。

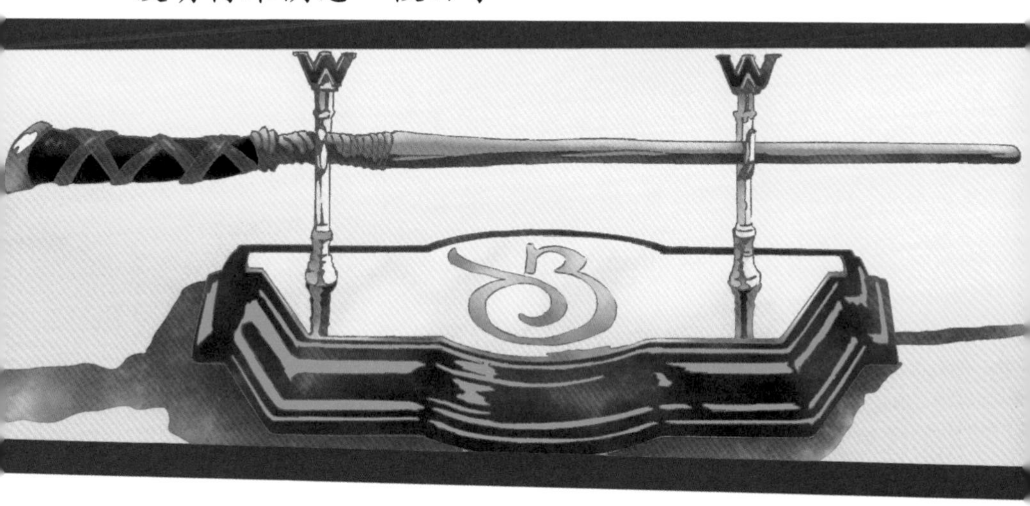

「看來你的師父遇上麻煩了，這支魔法杖是別人偷來賣給我的。」蜂后不介意商品的來歷，只在乎商品的價值。

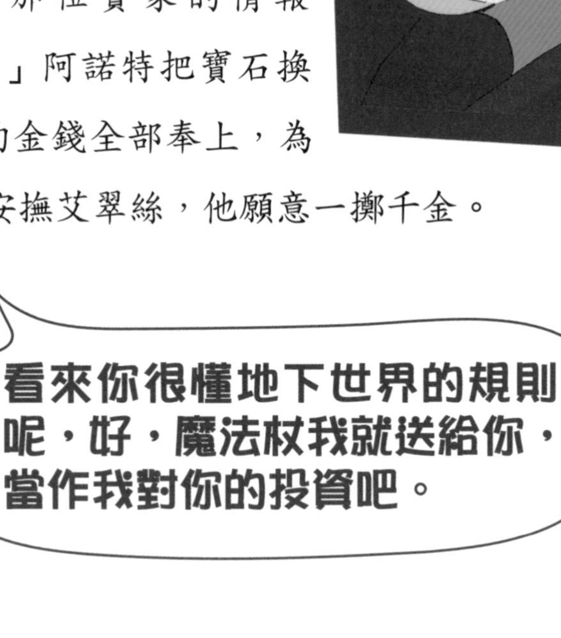

阿諾特知道艾翠絲現在一定十分擔心。

「這裡是賣東西的地方，不是打聽消息的場所，恕我無可奉告。」蜂后微笑回答。

「我買下魔法杖，那你願意販賣那位賣家的情報嗎？」阿諾特把寶石換來的金錢全部奉上，為了安撫艾翠絲，他願意一擲千金。

說罷蜂后更在便條上寫下了一個地址。繼黑狼組後，阿諾特再次順利得到了蜂后的支持。

只是阿諾特和艾翠絲此刻還未知道，自己原來得到了一條**重要的線索**，而這線索，將會令兩人的關係有所變化……

長長的天橋底下，一班露宿者挨著冷冷的寒風，在入夜後露宿街頭。他們生活苦困無法負擔昂貴的租金，連**一日三餐**都難以保證能吃得飽暖，幸好總有一個善心人不時會在夜深偷偷放下微薄的金錢和物資，為他們雪中送炭。

而這位善心人既不是天使，也不是人類，而是長有翅膀的女妖魔。

「阿諾特，目標人物出現了，我們一定要向她問出師父的下落。」丹妮絲的情況令艾翠絲十分擔心。

鳥人露比帶著物資降落，準備分發給沈沈睡去的露宿者。她是地下世界有名的女飛賊，行俠仗義、**劫富濟貧**，但偷竊始終是違法的行為，所以露比在獵人公會的制度下也是犯罪分子。

「交給我吧，不然她一看見獵人就會逃跑。」阿諾特說。

「獵人？」露比不等阿諾特解釋，一聽到獵人二字便拍翼飛走。

「不是交給你就行了嗎？她一看到你就逃跑了，一定是因為你的**樣子太兇**！」艾翠絲只能目送露比飛遠。

「不可能！我的樣子只會太帥，絕對不會太兇！」鳥人雖然有**空中霸主**的美譽，但要逃離吸血鬼阿諾特的追捕還言之尚早。

夜空之中，
鳥人露比和吸血
鬼阿諾特正進行
高速追逐，雖然
露比不知道阿諾特的身
份，但由於她
是違反人界法
律的飛賊，一被人
發現便有如驚弓之鳥。

「**慢著！**我不是來捉拿你的，你身上有我需要的情報。」阿諾特緊隨其後。

「想要情報？捉到我的話我便告訴你！」露比飛行技術了得，公會獵人從未成功跟上過她。

「不要挑起我的**勝負慾**，不然你一定會後悔的。」阿諾特想和平解決此事，並盡快把丹妮絲的下落告訴艾翠絲。

鳥人露比高速向下滑翔，突如其來的改變殺阿諾特一個措手不及。露比在低空大樓之間左穿右插，方向轉換加上建築物的障礙，阿諾特最終差點撞到摩天大樓上，被露比成功逃脫。

「**身手不凡**……我對這女飛賊愈來愈感興趣了。」阿諾特喜歡充滿挑戰性的事物，而且一旦盯上，他就不會輕易放過。

第七章 女飛賊露比・下

擺脫了阿諾特後，露比飛到山林中的一棟雙層木屋，這裡是她的大本營，木屋上層擺放著她偷竊得來的昂貴藝術品，她卻急急腳走到下層，因為對她來說比起上層的財富，下層的東西才是最重要的。

「菲蕾，快叫醒其他孩子，我們要離開這裡了。」露比喚醒了還半夢半醒的小貓女菲蕾。

「露比姐姐……怎麼了？」小貓女菲蕾不安的問。

「這裡已經不安全了，我們現在就要搬家啦。」露比微笑著說。下層居住了五名小孩，他們都是沒有**自給自足**能力的小妖魔，是露比收養的孩子。露比不只是劫富濟貧的女俠盜，同時是收養被遺棄小孩的善長仁翁。

不用叫醒小孩們了，
你們不用急著搬家。

阿諾特打開大門，人狼奇洛和獵人艾翠絲在他身後。

雖然露比在空中擺脫了阿諾特，但她沒有為意陸上的人狼奇洛一直緊盯著她。

露比緊抱小小的菲蕾，生怕孩子們會受到傷害。

「我們並沒有**惡意**，只是想知道這支魔法杖你是從何處得來。」阿諾特找了一張木椅子坐下。

「你們是物主的朋友嗎？我只是碰巧拾到她遺留的物品，沒有傷害你們的朋友。」露比擔心對方是來為魔法杖的物主報仇。

「這是我師父重要的魔法杖，求求你告訴我，她到底發生了什麼事好嗎？」**心急如焚**的艾翠絲問。

「你是那人的徒弟，即是說你們也是獵人？」戴罪在身的露比緊張起來，她擔心自己無法再照顧這裡的小孩子。

「我們是**通情達理**的獵人，和見義勇為的妖魔。」阿諾特打趣的說，希望緩解緊張的氣氛。

「你們跟我到樓上再詳談吧。」露比不想小孩聽到他們接下來的對話。

木屋二樓，露比向阿諾特等人訴說得到魔法杖的經過——她只不過是在偷竊目標物品時撞見全力開火的丹妮絲和忍者右京，丹妮絲技遜一籌，最終落敗被右京帶走，遺留下她的專用魔法杖。

「師父說有私事要處理，原來是一個人去找右京……」艾翠絲驚慌又焦急，她的師父現在生死未卜。

但顯然丹妮絲和右京關係不淺，她才會違反獵人公會的守則，隱瞞公會私下行動。

「丹妮絲不會有**生命危險**的，若右京有心下殺手便不會帶走她，當務之急是找出他們所在的位置，集齊人馬直搗右京的大本營。」阿諾特冷靜判斷。

「我已經把我所知道的全部告訴你們，你們不會**傷害**我的孩子們吧？」露比擔心著問。

「當然不會，不過我還有要事和你商討。」在剛才的夜空追逐後，阿諾特已萌生出一個念頭。

艾翠絲已猜到阿諾特的想法，但她話未說完已被打斷。

「沒錯，我希望**招攬**露比你為我效力，我會提供你和你的孩子們更安全舒適的生活環境。」阿諾特看上了露比的賊竊和飛行能力，他相信未來露比的才能會對他有重大貢獻。

「但她是小偷，是公會的通緝對象。」艾翠絲嚴肅的說。

「你們知道這些藝術品和名畫我是怎樣偷來的嗎？」露比說。

「偷竊就是犯罪，怎樣偷來重要嗎？」艾翠絲直斥其非。

「它們都應該存放在藝術館和博物館供人欣賞，但我是在那些暴富的罪犯家中偷來的。」露比說出不為人知的事實。

「怎麼會？」艾翠絲一臉問號。

「因為放在藝術館的都是贗品，真跡早已被掉包，流通在地下市場進行非法交易。」阿諾特能推測出真相，因為這種買賣並不罕見，無論是人類還是妖魔，都存在貪得無厭的壞分子。

「對，所以就算我偷了真跡，他們都不敢大肆宣揚，因為這會揭露他們的罪行。」露比的偷竊目標全都是**贓物**。

「我把這些贓物賣給蜂后的古董店，把兌現的金錢用來資助受苦的露宿者和供養無家可歸的小孩。」劫富濟貧、救急扶危，這是女飛賊露比的宗旨。

「我是違反了人類世界的律例，但我問心無愧。」能幫助像貓女菲蕾這些小孩子，露比知道就算會被公會狩獵也不後悔。

「你不止違反了獵人公會的守則，還開罪了**黑暗世界**的惡人，若被其中一方捉到，後果也不堪設想。」人狼奇洛能想像露比正面對怎樣的困境。

「加入我的團隊吧，我會保障你們的安全，打造弱者也能受公平對待的**新世界**。」阿諾特伸出援手。

露比相信阿諾特，直覺告訴她，面前的男人將來一定會成就大業，一鳴驚人。

這是對雙方有利的好結果，唯獨艾翠絲感到心情複雜，而且坐立不安。她既擔心師父的安危，更愈來愈擔心阿諾特的將來，她真切感受到，自己和阿諾特是兩個價值觀截然不同的人，她眼看著阿諾特一次又一次**明目張膽**地違反法則，她不知道自己應該和阿諾特分道揚鑣，還是繼續結伴同行。

「哥哥……如果你是我，到底會怎樣做？」

艾翠絲多麼希望此刻艾爾文能給予她指引。

只可惜艾爾文對正義的堅決不容許任何灰色地帶，他和阿諾特終有一天會迎來兵戎相見的局面。

第八章
洪水來襲

東方魔幻世界的一個高大山峰——五指山，這裡**人跡罕至**，方圓十里渺無人煙，而在山頂之處更受到結界保護，沒有人知道一名舉世聞名的妖魔正被困在此地，他的名字叫——**孫悟空**。

五指巨石壓在孫悟空身上，他的頭上更戴著封印力量的法術帽子，四週圍擺放了特殊的符咒，強如孫悟空的超級妖魔也**無計可施**，無奈成為階下囚。

「右京，有人闖入結界範圍，要我們採取行動嗎？」忍者左之助向看守孫悟空的忍者首領右京說。

「那入侵者……是你以前的拍檔。」女忍者櫻花表情悲傷，因為她知道右京和獵人丹妮絲的故事。

「你們看守著孫悟空，丹妮絲由我親自解決。」右京**面無表情**，他已經狠下心腸，只要與他為敵，他便不會放過。

哪怕是昔日的戰友、最好的拍檔，甚至是曾經深愛的戀人，右京也不會心慈手軟。

結界被撕破，丹妮絲步步為營，手握魔法杖作好作戰準備。

「回去吧，只要你現在離開，我可以放你一條生路。」右京居高臨下來到丹妮絲面前作出**最後警告**。

「該回頭的是你，在你鑄成大錯前，臨崖勒馬吧……否則我只能以武力將你制服。」丹妮絲了解右京，她很清楚這一戰在所難免。

丹妮絲的魔導靈——三頭火龍正仰天長嘯，為了拯救曾經深愛的人，丹妮絲才向獵人小隊隱瞞，隻身前來赴會。

右京雙眼閃耀神秘的光芒，和他四目交投的話，魔力就會瞬間消失。

丹妮絲閉上眼睛發號施令，三頭火龍噴出熊熊烈火。

唯有不看著對手，才能以魔法和右京交戰。

「忍法，大洪水之術。」

右京處變不驚，以洪水制衡猛火。

「防禦魔法！」丹妮絲在前方築起護牆，在忍者飛鏢來到她面前時防禦。

兩人曾經合作無間，互相守護，所以丹妮絲能預判右京的下一步。

「影子潛行之術。」同樣地，右京也清楚丹妮絲會採取的下一步，暗中來到她的身後。

「鋼鐵護體魔法！」丹妮絲立即以魔法把身體變得如精鋼般堅硬，及時擋住右京從後而來的揮刀偷襲。

「結束了……三頭火龍，朝我噴火吧。」丹妮絲以自己作為誘餌，吸引右京接近。

猛火直捲丹妮絲和右京兩人，待火焰燒過後，丹妮絲發現雙腳無法動彈，腳下泥土如沼澤吸附她的雙腳。

「是什麼時候變成這樣的？」丹妮絲因一時驚慌睜開了眼睛，正中對手下懷。

一直閉上眼睛迎戰的丹妮絲看不到右京的部署，他先以分身假裝接近丹妮絲背後，再在火焰落空之際，以忍法製造出沼澤困惑丹妮絲。

「的確結束了，但勝利的是我。」右京的雙眼注視著丹妮絲，曾經丹妮絲多麼喜歡被他的眼睛凝視。

但這一次，丹妮絲沒再因為右京的注視而心跳加速，取而代之的是魔力盡失、渾身乏力。

「念在我們曾經美好的關係，我不會殺害你，但在我的工作圓滿結束前，你就乖乖和孫悟空一起被壓在**五指山**下吧。」右京手掩丹妮絲的臉，讓她沈沈睡去。

右京就此帶走了丹妮絲，自此之後艾爾文等公會獵人再沒有收到她的消息，而她的魔法杖遺留在這山頭之上，被路經此地的鳥人露比帶走了。

曾經相愛的戀人右京和丹妮絲，因為理念不相同而背道而馳，落得**兵戎相見**的下場。不幸的是，阿諾特和艾翠絲、安德魯和迦南，這兩對小情人，在不知不覺中，似乎也走向相似的道路。

村莊內，唐老師已差不多把所有破舊的木屋修復妥當，迦南在她的身上看到魔法最美好的一面，她也**不遺餘力**將村民的日常用品修補好。

「小猴妖，我們一起去玩吧！」小孩們圍著小猴，村民們全都十分愉快，在戶外開始了營火派對。

「我又不是小孩子，我才不和你們去玩。」唯獨小猴一直**難以開懷**。

「我們玩捉迷藏吧，勝利者有香蕉吃！」小孩們開始分散奔跑。

「香蕉？看我三兩下功夫就把你們統統抓起！」小猴不敵香蕉誘惑，村民和學生們忍俊不禁。

「你的心情好像很好呢？」安德魯定神看著迦南的笑臉。

「因為……大家也在笑呀，我們的魔法，可以幫助到很多人。」

迦南修好一隻小木馬並交還到一個小孩手上。

謝謝姐姐！

小孩愉悅的笑容，令迦南覺得再辛苦也是值得的。

「保育這一課真的很有意思，以往我一直只想努力去令自己**變得更強**，變得無論遇到怎樣的危機也能化解，但……」迦南緩緩訴說心中所想。

安德魯淡淡微笑，對抗過黑魔法派，又曾在東方身陷險境，安德魯至今依然感覺無力、感覺迷失。

「……我很希望，將來我也能像唐老師西行天竺城般，踏上以魔法幫助有需要的人的旅程。」迦南說著面頰逐漸泛紅。

「這的確很有意義。」安德魯凝望著迦南說。

「我更希望在這旅程裡，你會一直在我身邊……」嘗試過離別的痛苦，迦南不想再和安德魯分開。

「我……」安德魯移開視線而且欲言又止，他當然希望不用再離開迦南，但他不能棄雙雙和雙兒不顧。

以唐三藏的性命來救雙雙，安德魯會失去和迦南**長相廝守**的資格，他將永遠活在愧疚之中。

「大……大件事了！」外出巡邏的村民慌張地匯報。

「發生什麼事了？」唐老師問。

「堤壩穿了個大洞，洪水正湧向村莊！」村民驚惶失措，他的說話更引起群眾恐慌。

「老師，我們馬上再去修補堤壩吧！」迦南坐上**飛行掃帚**。

「堤壩需要修補，但洪水將至現在出發已太遲了……」為免村莊被毀，唐老師正快速思考對策。

「唯今之計唯有兵分兩路，迦南和安德魯你們盡快去把堤壩修補好。」唐老師取出錫杖，她要傾盡全力阻止悲劇發生。

「那老師你呢？」迦南問。

「我要在這裡築起護牆爭取時間，修補堤壩的重任就交給你們了。」唐老師聚精會神。

「好的，安德魯我們要把握時間了！」迦南快速起飛，安德魯也緊隨其後。

「師父……」小猴十分擔心，想要出一分力卻沒法衝破封印。

「放心吧，我一定會保護你、保護大家。」唐老師向小猴報以微笑，這一次輪到她守護她的孫悟空。

小猴愈來愈不安，除了因為洪水的破壞力難以想像外，他更感覺到不祥而且**似曾相識**的魔力正在接近。因為妖魔大仙正隱藏著身影，他們已破壞堤壩，引洪水進入村莊。

第九章

妖魔大仙的圈套

堤壩所在之地，迦南和安德魯已火速趕到現場，堤壩上受腐蝕侵害的痕跡顯然是人為造成。

魔法瓶子內的依娃突然呼喊：

迦南，你們要小心一點，這並不是意外，恐怕另有內情。

「依娃，你的意思是……」迦南問。

「你記得襲擊學園的鹿頭道士嗎？我感應到他的魔力正在不遠處。」曾是黑魔法派三大幹部之一的依娃，**警覺性**比常人都要強。

「真的嗎？若是這樣的話……唐老師的處境豈不是很危險？」迦南記得當時侵犯學園的人，目標只有唐老師一個。

「不會有錯，那些和殭屍緊密接觸的人，都會沾上**殭屍的氣味**……」依娃說著的同時偷望了安德魯一眼。

「事不宜遲，我們立即修補好堤壩，回去和唐老師會合吧！」迦南取出魔法杖快速繪製魔法陣。

安德魯全力配合，兩人同時以魔法想修補破損的大洞，由於洪水正不斷湧入，急速水流造成的衝擊力，成為了修補堤壩最大的障礙。

而在村莊入口正前方的唐老師以法術築起了三角形的護牆，角尖直指向前方，當洪水到達之際便會被分隔向兩邊流走，減少正面衝擊的力度。

「如果這時候我能變身就能幫助師父……我真沒用！」守候在唐老師身邊的小猴萬般自責。

「不用擔心呀，我一定能堅持住的。」唐老師雙手握緊錫杖，傾盡魔力維持三角護牆。

身懷聖舍利的唐老師雖然擁有異常大的魔力，但在日間修補堤壩和村民的房屋後，其實已**所剩無幾**。

「孫悟空啊⋯⋯快點把力量借給我吧。」小猴抱住頭，現在是他最需要強大力量的時候。

但是遠在五指山的孫悟空沒法回應分身小猴的請求，他被加強了的封印牢牢鎮壓著。

「**傻瓜**，你不就是孫悟空嘛。」唐老師還未知道真相，竭力分隔洪水的她不忘以笑容安撫小猴。

「師父你才是傻瓜啊，其實我⋯⋯」小猴**難以啟齒**，他不想令唐老師失望難過。

幸好唐三藏並非**孤軍作戰**，迦南和安德魯二人同心協力，終於把堤壩完美修復，阻止更多洪水湧入村莊。

「**成功了**⊙」安德魯鬆了一口氣，雖然已進行兩次針灸治療，但血癮的影響未完全消失。

「安德魯，我們要盡快趕回唐老師身邊，我擔心她會有危險。」迦南相信依娃，她知道危機還未完全解除。

「為什麼？」安德魯不明所以，他以為只有自己對唐老師圖謀不軌。

「前陣子有一名叫**鹿力大仙**的妖魔，他帶領著一大批殭屍入侵學園，而他的目的是想捉走唐老師……雖然我不知道他為何把老師當成目標，但事件背後很可能牽涉龐大的陰謀，就連孫悟空也是在秘密調查期間遭受到封印。」迦南訴說出她所遇到的怪事。

「殭屍？鹿力大仙？」安德魯曾與妖魔三大仙中的羊力大仙交手，也面對過殭屍大軍的威脅。這班敵人突然出現，而且和他一樣想捉拿唐三藏，這令安德魯感到事有蹺蹊。

「嗯，無論如何，我們不能讓唐老師落入壞人手中。」迦南眼神堅定的說。

洪水慢慢緩和，唐老師的努力沒有白費，躲在木屋內的村民見**威脅解除**，全都報以掌聲，慢慢步出木屋。

小猴緊張的問。

「我沒事……只是魔力消耗過度，讓我睡一會兒就好。」滿頭大汗的唐老師昏睡過去，她成功拯救了村民，卻跌入妖魔大仙的圈套。

「壞人的氣息在接近……大事不妙了。」小猴四處張望，然後拖著唐老師的身軀躲藏到其中一間木屋內。

村民們看得一頭霧水，洪水已過本來可喜可賀，豈料殺氣騰騰的妖魔大仙突然從天而降。

「我們在找唐三藏法師，有人告訴我她藏在哪裡了嗎？」鹿力大仙問。

以洪水消耗盡唐三藏的力氣，現在要捉拿她便易如反掌。

村民們默不作聲，他們知道對方不懷好意。

「唐三藏一定還在村裡，你們不交她出來，休怪我不**手下留情**。」羊力大仙亮出用來腐蝕堤壩的符咒，被這種可怕的力量擊中後果不堪設想。

「**我在這裡**，有本事就來捉我吧！」唐三藏的聲音從後而來，羊力大仙和鹿力大仙也十分驚訝。

「*我明明看見唐三藏躲到村中的木屋裡，為什麼她會突然出現在我們後方？*」羊力大仙問。

「慎防有詐，我去追後面的那個，你在村裡逐家逐戶搜索，村民不合作的話就大開殺戒吧。」鹿力大仙決定分頭行事，拔足奔跑追向逃入樹林的唐三藏。

真正的唐三藏的確在其中一間木屋入面，她因疲勞過度昏迷未醒，而逃入樹林中的，其實是以變身魔法矇騙鹿力大仙的迦南。

「迦南你是**笨蛋**嗎？明知對方的目標是唐三藏，你還假扮成她。」瓶中的依娃氣著說。

「唐老師的狀況欠佳，以我和安德魯的力量是沒法一邊保護村民，一邊對抗那兩個壞人的，唯有分開對方，我們才有勝算。」迦南的**變身魔法**成功騙到敵方，她繼續奔跑引鹿力大仙遠離村莊。

另一邊廂，羊力大仙準備大開殺戒，小猴為了保護唐老師和村民決定挺身而出。
「羊頭壞蛋，看招！」
站在筋斗雲上的小猴用力揮棒，但在他微弱的力量下，羊力大仙毫髮無損。

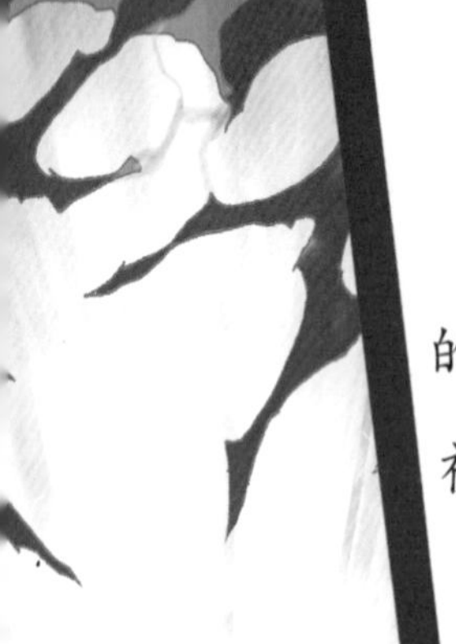

「不自量力，你不過是個軟弱無力的分身。」羊力大仙一揮魔爪，小猴已被擊倒地上。

「如果我能變身……」小猴再次進攻也只得到被打成**遍體鱗傷**的下場，不忿的他堅持再次站起，守護他最重要的唐三藏。

「封印的力量已經加強，你不會再有機會破壞我們的好事，現在我就先把你**消滅**，再慢慢對付唐三藏。」羊力大仙使出符咒法術，腐蝕魔球正射向小猴身上。

「如果……我像孫悟空一樣強大……」小猴合上眼睛緊握長棒，他知道自己已經凶多吉少。

但是白色的蝙蝠翼掩護著小猴，成為保護他的屏障，雷電抵消了魔球，安德魯的出現救了小猴一命。

第十章

秘密

「**安德魯？**」小猴張開眼睛，發現安德魯正保護著他。

「我們又見面了，白色翅膀的吸血鬼。」羊力大仙在襲擊道觀時和安德魯曾經交過手。

「本來今天是個美好的日子……」能和迦南在一起，又幫助了村民，安德魯覺得十分美滿。

「但是你們的出現，破壞了我美好的心情……」盛怒的安德魯釋放的魔力驚人無比，蔓延四週的雷電迫得羊力大仙急急退後。

「這小子的魔力比當時更強大了……」羊力大仙面對著前所未有的壓迫感，立即以黑色符咒召喚出**超級殭屍**——手持七星劍的金角大王。

不只羊力大仙，就連在場的村民也被安德魯的殺氣嚇倒，他那雙深紅色的瞳孔令人十分畏懼。

安德魯不只壓抑住憤怒，他還要對抗想要**大肆殺戮**的心魔。

「狂妄的小鬼，嚐嚐本大仙的厲害！」羊力大仙一聲號令，超級殭屍有如瘋狂的戰士衝向安德魯。

金角大王狂猛揮斬，超級殭屍都具備靈活的身手，削鐵如泥的七星劍更是難以應付，但見安德魯處變不驚：「雷霆爆裂魔法！」現在的安德魯已遠超學生的水平。

「被這種卑鄙之人利用，太可憐了……」安德魯的魔法的確有效擊退超級殭屍，但不會感到痛楚的殭屍繼續步步進逼。

「暴雪霧化！」安德魯強化了吸血鬼的技能，霧化的瞬間把接觸他的金角大王結成冰霜。

「馬上回來！」羊力大仙眼見安德魯來勢洶洶，一邊施放腐蝕法術，一邊召回超級殭屍保護自己。

「今天我要為雙兒和雙雙的家人報仇雪恨！」安德魯愈戰愈勇，以**迅雷不及掩耳**的速度接近敵人。

羊力大仙施展飛行法術，但要在空中擺脫吸血鬼的追捕談何容易。

「**腐蝕瘴氣！**」綠色毒煙在空中擴散，羊力大仙以為這樣就能阻擋安德魯。

「轟雷暴風魔法！」只要血癮不發作，安德魯已能爆發出不下父親安古蘭的戰鬥力，風雷交擊的魔法把毒煙吹散直擊羊力大仙。

「無恥之徒，你為什麼要捉拿唐老師？」憤怒的安德魯在半空中抓住羊力大仙的脖子問。

別自命清高了……你
不是也和我一樣想打
唐三藏的主意，想利
用她復活殭屍？

羊力大仙知道安德魯不可告人的秘密。

「為什麼……你會知道的？」安德魯大為震驚，這本應是只有雙兒、雙雙和銀鈴知道的事。

「若然我把你的秘密**和盤托出**，你認為你身邊的人會怎樣看待你？」羊力大仙笑著，他已成功動搖安德魯。

羊力大仙乘安德魯分心之際趁機掙脫，待安德魯回過神來，羊力大仙已消失遠去。

安德魯一臉疑惑，那秘密為什麼會外泄？而且是被同樣以唐三藏為目標的妖魔三大仙知道，安德魯感覺**事有蹺蹊**。

「謝謝你……幸好安德魯你及時趕到。」唐老師吃力的走著，小猴馬上前去扶持著她。

「唐老師，你稍作休息吧，我還要去看看迦南那邊的情況。」安德魯展翅高飛，他的心裡雖然充滿疑問，但現在最重要的是迦南的安全。

樹林內瀰漫著**一片濃霧**，變身成唐三藏的迦南奔跑到深處才敢停下腳步，躲到大樹之後。

「離村莊這麼遠，應該安全了吧。」迦南不顧自身安危，心裡還記掛著唐老師和村民的安全。

「其他人或者已經安全，但你卻不是

呢……」依娃對這善良的傻瓜感到頭痛。

「在**一對一**的狀態下，或者我有勝算呢。」迦南還是十分樂觀，拿出魔法杖準備迎戰。

「論魔力你絕對不下於鹿頭道士，但論經驗你還差太遠了。」依娃已察覺危機將至，迦南卻還是一臉茫然。

「**為什麼……我會覺得手腳無力？**」迦南只依靠視覺觀察危險有沒有迫近，沒有為意混濁的空氣中其實隱藏殺機。

「原來是上次壞我好事的臭丫頭，扮成唐三藏**魚目混珠**，算你有點小聰明。」鹿力大仙對迦南印象深刻。

在襲擊東方學園的時候，迦南表現出過人的魔力和判斷力，同時也曝露出自己是金黃魔力持有者的身份。

「是迷煙，鹿頭妖魔的法術令你呼吸的空氣充滿毒性。」依娃看到鹿力大仙已逐漸接近，迦南卻已**不省人事**。

「你散發的魔力比普通金黃魔力的人更強更多，把你捉回去，一定對我們的計劃大有幫助。」鹿力大仙不只想要唐三藏，迦南也成為了他的目標。

這時候安德魯還在和羊力大仙對峙，唐老師也還未醒來，鹿力大仙的魔爪已伸向迦南。

「迦南這傻瓜……老是為了別人身陷險境。」本來已沒有人能保護迦南，但非比尋常的黑暗魔力正在迦南身上發出。

「還有誰在這裡嗎？**報上名來！**」鹿力大仙四處張望，提高警覺。

「迦南，你欠我的人情愈來愈多了。」魔法瓶子的封印被強行衝破，黑魔法派最強的幹部重獲自由。

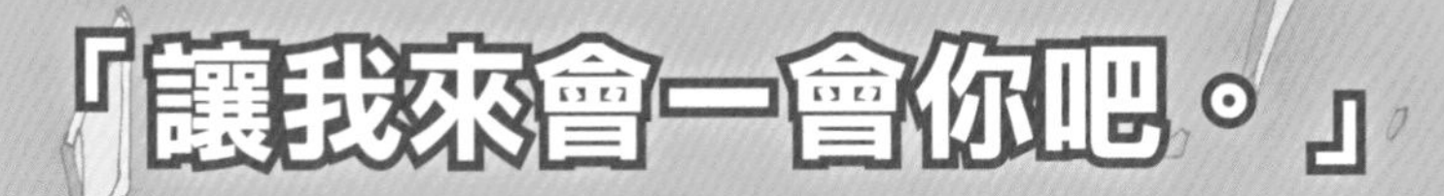

不死族妖魔依娃拾起迦南的魔法杖，

昔日的敵人變成今天的戰友。

東方學園內，青龍班的一眾學生在進行燒烤大會，原意是為慶祝安德魯平安歸來，可惜主人翁還未出現。

「迦南他們為什麼這麼晚還未回來？」愛莉邊把燒好的雞翼餵向艾爾文邊說。

為見心上人遠道而來的艾爾文尷尬的接過美食，他和愛莉還未有獨處的機會。

「對呀！我準備了這麼多好菜式，她們的專修課還未結束嗎？」四葉大展一身好廚藝，她的特別導師鐵扇公主也在旁協助。

「會不會遇到麻煩了？唐老師的處境……還不適宜離開學園。」學園首席牛魔王說。

「未婚夫大人，你就別擔心其他人的事，好好享用我為你準備的菜式吧。」鐵扇公主既是牛魔王的未婚妻，也是從帝都而來的特別導師。

唐老師的名字一被提及，場內立即瀰漫著一種古怪的氣氛，從三個國家到來的特別導師除了來**作育英才**外，其實他們也各自有自己的目的。

「你要吃飽一點，明天的課堂會十分辛苦的。」特別是負責教導牛魔王的特別導師、來自女兒國的蜘蛛女妖。

「好的，金鈴老師。」牛魔王說。

盤絲洞的蜘蛛女妖有兩名，她們都醫術了得，深受女兒國的女帝喜愛，但妹妹銀鈴不願意為女帝效力，姐姐金鈴卻不一樣，只要是女帝鳳禧的命令，哪怕是**殺人放火**她也在所不辭……

下回預告

我的
吸血鬼同學

妖魔仙人再度來襲，安德魯的秘密再難以隱瞞。
沈寂已久的依娃衝破封印，殭屍道士將與不死妖魔正面交鋒。

黑焰王子阿諾特的勢力日益擴大，銳意建立新秩序的他
迎來新的敵人，掀起東方亂局的幕後黑手漸漸曝光。

vol.16 十一月出版

40條好玩心理測驗題

把你的潛藏人格說到心坎處
幫助自我認識的最佳遊戲書

人生規劃EASY踏出第一步！

話題終結者的救星！和朋友一起試著做做看更開心！
說不定，會讓你們更了解自己和對方的內心小秘密啊！

陳四月／

「寫這甜蜜故事害我血糖嚴重超標，應該是我目前為止所寫甜度Lv最高的文了⋯⋯」

多利／

「以少女的細膩筆觸，繪畫出如此跌宕生姿的浪漫愛情是我夢寐以求的事。好想被抱在摩卡懷裡喔⋯⋯」

死神組織的信條是：
死亡是靈魂學習的必經過程。

無論是行善積德的，還是惡貫滿盈的，死亡都會無差別的降臨到人類身上。但——帥氣的黑貓死神摩卡，卻為了拯救他生前的主人舒雅，一而再、再而三的違反工作守則。即使要與高高在上的死亡之神為敵，他也決意要逆轉注定的命運！

全書1期完　經已出版 每冊港幣$78

我的吸血鬼同學

創作繪畫　余遠鍠
故事文字　陳四月
策劃　YUYI
編輯　小尾
設計　siuhung
實景　張耀東
出版　創造館
CREATION CABIN LTD.
荃灣美環街 1-6 號時貿中心 6 樓 4 室
電話　3158 0918
發行　泛華發行代理有限公司
香港新界將軍澳工業邨駿昌街七號二樓
印刷　高科技印刷集團有限公司
出版日期　2022 年 9 月
ISBN　978-988-76143-4-0
定價　$68
聯絡人　creationcabinhk@gmail.com

創造館 CREATION CABIN